Pour Marie
G.M.

© 2015 Éditions Mijade

Texte © 2015 Thierry Robberecht
Illustrations © 2015 Grégoire Mabire

ISBN 978-2-87142-913-5
D/2015/3712/22

Imprimé en Belgique

Thierry Robberecht

Le loup
tombé du livre

Grégoire Mabire

Mijade

La bibliothèque de Zoé était pleine de livres,
tellement pleine à craquer qu'un jour,
un livre est tombé à terre
et que le loup de l'histoire en est sorti.

Dans le livre, c'était un loup terrible,
tout noir avec des dents pointues,
mais tout seul dans la chambre de Zoé,
une chambre inconnue,
le loup de l'histoire avait très peur.

Il essaya d'abord de trouver refuge
sous son livre qui, en tombant,
avait formé une tente, un petit abri.
Le problème,
c'est que dans la chambre de Zoé
dormait un chat, un énorme chat qui,
à la vue du loup,
se pourléchait déjà les babines.

– Ne me touche pas,
lui dit le loup.
Dans mon livre,
je suis un loup terrible
et tout le monde
a peur de moi.

– Peut-être, répondit le chat, mais ici,
tu n'es pas dans ton livre,
tu es dans la chambre de Zoé
et c'est mon territoire.

Le loup avait si peur qu'il tenta de retourner dans son livre...

...mais un mouton le mit à la porte du livre
parce qu'il arrivait trop tôt dans l'histoire.
– Qu'est-ce que tu fais déjà ici ?
Tu arrives beaucoup trop tôt !
Il n'y a pas encore de loup dans cette histoire !
On ne pourrait pas avoir la paix et brouter tranquillement !

Alors, il essaya d'entrer dans le livre par une autre page,
mais là, d'autres loups lui ont dit:
– Ah, c'est malin!
C'est à cette heure-ci que tu arrives?
Quand l'histoire est terminée!
Bravo! Belle conscience professionnelle!
Le chat se rapprochait de plus en plus.
Il fallait que le loup se sauve et vite!

Il grimpa sur la bibliothèque à la recherche d'un livre
qui pourrait l'abriter. Cette bibliothèque était grande, droite
et raide comme une falaise. Notre loup faillit tomber dix fois.

Finalement, le loup parvint à atteindre la première étagère
et tenta de pénétrer dans le premier livre.

C'était un livre de princesses,
et à la page où arrivait le loup,
le roi donnait un grand bal à la cour.
– Désolé, Monsieur le loup, lui dit un majordome
mais vous ne pourrez rester dans cette histoire
qu'en vous changeant. Mettez un costume ou une robe de bal.
– Une robe de bal! répondit le loup.
Et si d'autres loups me voyaient? De quoi j'aurais l'air?

C'est ainsi que le loup fut mis à la porte du livre
par les majordomes, mais, à l'extérieur,
le chat l'attendait toujours.
Il tenta alors de pénétrer dans un second livre.

Dans ce livre, tout était étrange.
Le monde ne ressemblait à rien de connu.
Soudain, il sentit une présence derrière lui.
C'était un dinosaure qui lui dit :
— Mon garçon, tu ne vas pas pouvoir rester
parmi nous, tu t'es trompé d'époque !
Fais-toi remplacer par ton ancêtre.
Et puis, c'est dangereux pour toi ici.

Les animaux de cette histoire étaient énormes et dangereux,
et ils n'avaient aucune éducation :
ils se comportaient comme des animaux préhistoriques.

Mal à l'aise, le loup s'échappa vite du livre.

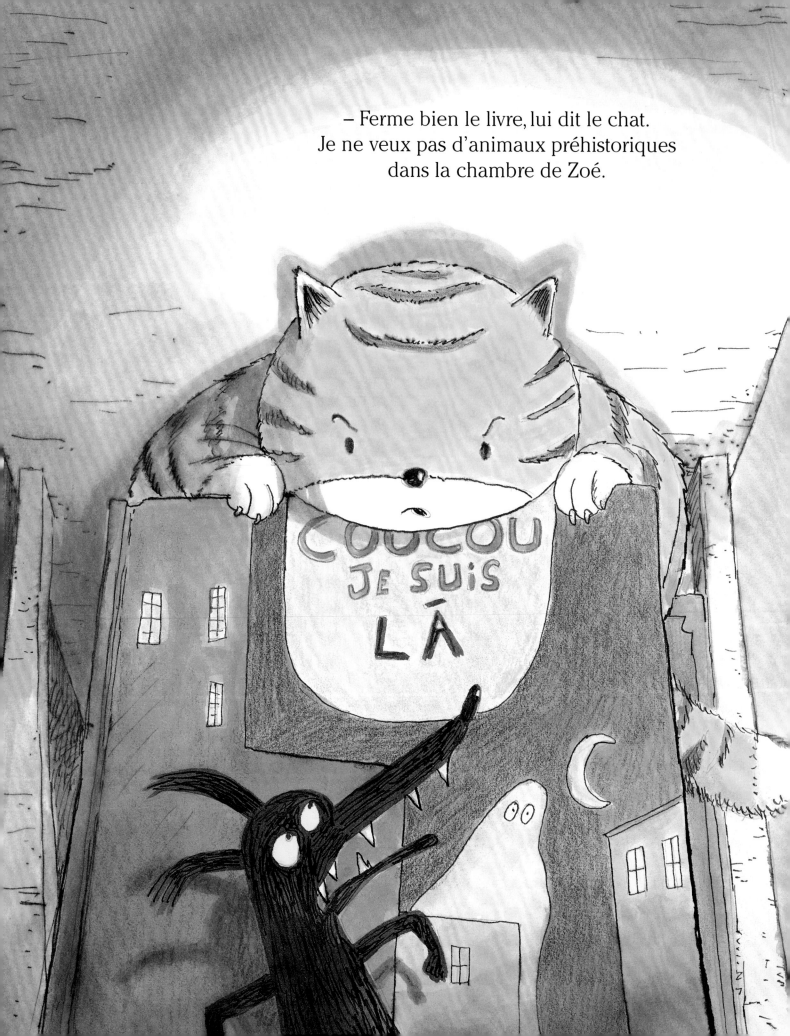

– Ferme bien le livre, lui dit le chat.
Je ne veux pas d'animaux préhistoriques
dans la chambre de Zoé.

Le loup choisit un livre au hasard
et y pénétra.

Il se retrouva dans une grande forêt.

Une forêt, ça me plaît, se dit-il.
Il marcha longtemps.

Soudain, il vit, assise sur un tronc d'arbre,
une petite fille habillée de rouge qui pleurait.

– Qu'est-ce qui se passe? lui demanda le loup.
Pourquoi tu pleures?

– Je suis en route pour apporter des galettes
et un petit pot de beurre à ma grand-mère,
j'avais rendez-vous avec un loup, mais il n'est pas venu.

– Je vais arriver en retard
et mon histoire sera fichue…

… voilà pourquoi je pleure.

– Mais je suis là, moi,
je suis un loup,
je suis tout noir
et j'ai de grandes dents!

Si tu veux, je peux t'aider.

La petite fille le regarda à travers ses larmes.

– Tu veux bien?
Tu n'as pas la chèvre de Monsieur Seguin
à manger ou des moutons à dévorer?

– Non, répondit le loup, j'ai tout mon temps.
– Tu veux bien m'accompagner chez ma grand-mère ?
En chemin, je t'apprendrai ton texte.
– D'accord !

Et ils partirent, bras dessus, bras dessous.
– En arrivant à la maison de grand-mère,
tu n'oublieras pas de te déguiser ? dit la petite fille.
– T'inquiète pas, répondit le loup, je connais mon métier !